是呀！春天来了！

童趣出版有限公司编译　　人民邮电出版社出版

北　京

春天来啦！春天来啦！

　　六月穿上了一双新的春天小舞鞋，安妮跟着窗外的小鸟唱起了春天的歌，而昆斯怀里抱着一盆小郁金香。小郁金香看起来也激动极了，因为春天到了，她就可以开花啦！难怪春天是她最喜欢的季节。

"伙伴们，我们有任务啦！"里欧走进来，对他的伙伴们说道，"既然春天来了，大家知道我们要做什么吗？"

"当然，"昆斯信心满满地回答道，"我们要把小郁金香种到花园里，这样她就可以长成美丽的花儿了。"

"可是小郁金香一定想跟她的朋友们一起成长开花。"安妮说道。

"说得对。"里欧回答道。

这时，六月补充道："这样的话，我们就要把小郁金香送到荷兰去。荷兰是欧洲的一个国家，那里生长着很多美丽的郁金香。"

好吧，那就让我们向着荷兰，出发吧！

小爱因斯坦小队正在去荷兰的路上，里欧突然看到了一个不寻常的东西。

"哦，不，"里欧大叫起来，"一架大喷气飞机飞过来了！"

"大喷气飞机有一个季节控制器。"安妮说道。

"他想要什么季节就可以变出什么季节，"昆斯补充道，"哦，他的威力十分强大，可以把一个热死人的夏日变成刮着暴风雪的冬天！"

"快看，"里欧说道，"窗外有叶子在飘落了。"

"现在已经不再是春天了！"六月惊叫起来。

"大喷气飞机把季节变成了秋天。"昆斯说道。

窗外，风越刮越大，太空船使出浑身力气让自己继续飞行。可是，风实在是太大了，太空船在空中晃了一下，然后就开始不停地摇摆，甚至在空中翻了个个儿，变成机舱朝下了。

小朋友，你觉得这一次太空船可以从大风中逃出来，飞过这个让人不断坠落的"秋天"吗？

"太空船需要我们大家的帮助才能从这个让人下落的秋天中飞过去。"里欧说道。

"是呀，他需要更多能量和力气来飞过这阵大风。"昆斯叫起来。

于是，小爱因斯坦小队的伙伴们开始不停地用自己的双手拍着双腿。

小朋友，你能来帮忙吗？用双手拍拍双腿，拍拍，拍拍，帮助太空船从这阵让人下落的强风中飞过去！

太空船终于成功了！他从秋天的狂风中飞了出来，不再往下落了。

大家刚松了一口气，忽然安妮又叫了起来："哦，不！快看屏幕，那架大喷气飞机又出现了。接下来他会干什么呢？"

就在这时，天气忽然变得非常非常炎热，原来大喷气飞机又开始使用他的季节控制器了！这一次，他把季节变成了夏天，小爱因斯坦们都热得受不了了！

安妮大喊起来："看，太空船闪起了红灯！"
六月说道："看来他也热得不行了！"
"太空船变得越来越没力气了，"里欧着急地叫起来，"他正在不停下降。"
"小郁金香也开始蔫了，她看起来也很虚弱。"昆斯看看手里的小郁金香说道。

"太空船需要我们大家的帮助才能度过这个炎热的夏季！"六月坚决地说道。
　　"我们必须赶快想个办法，不然太空船变得特别热就不能再飞行了！"安妮焦急地喊道。

于是，大家开始用手扇风，帮太空船凉快下来。
小朋友，你能用手扇扇风，帮太空船降降温吗？

很快，这个办法奏效了！太空船飞过了炎热的夏季，重新冲上了高高的天空。

可是这一次，还没等大家歇口气，安妮就又叫了起来："哦，我的天！看啊，大喷气飞机又来了。这次他想干什么呢？"

"现在再看看屏幕吧，"六月说道，"瞧，远处有一场暴风。"
"而且它正在朝我们这边移动呢！"里欧说道。
他的话音刚落，天空就飘起了雪花，伴着一阵阵狂风飞舞。

　　"哦，是一场暴风雪！"六月惊叫起来。

　　"可怜的小郁金香，"昆斯看看怀里的小郁金香，低声说道，"她现在冷极了！"

　　"到处都是雪花，"安妮焦急地说道，"太空船看不见路了！"

太空船奋力将挡在前面的雪花推开。
可是要想穿过整个暴风雪，太空船需要更大的力量才行。
"可怜的太空船，他还是看不清前面的路！"里欧大叫起来。

"让我们帮太空船鼓鼓劲吧！"六月喊道。

小朋友，你可以帮太空船加油吗？只要大喊："冲啊，太空船，往前冲！冲啊，太空船，往前冲！"就能帮他飞过这片暴风雪了。

很快，大家的加油鼓劲就有了效果。太空船终于飞过了暴风雪。现在，小爱因斯坦们必须回到春天去。然后，他们必须把小郁金香送到荷兰。可是，要完成这些任务，他们需要别人的帮忙。

小朋友，你能帮助他们在这张四季图上找出回到春天的路吗？

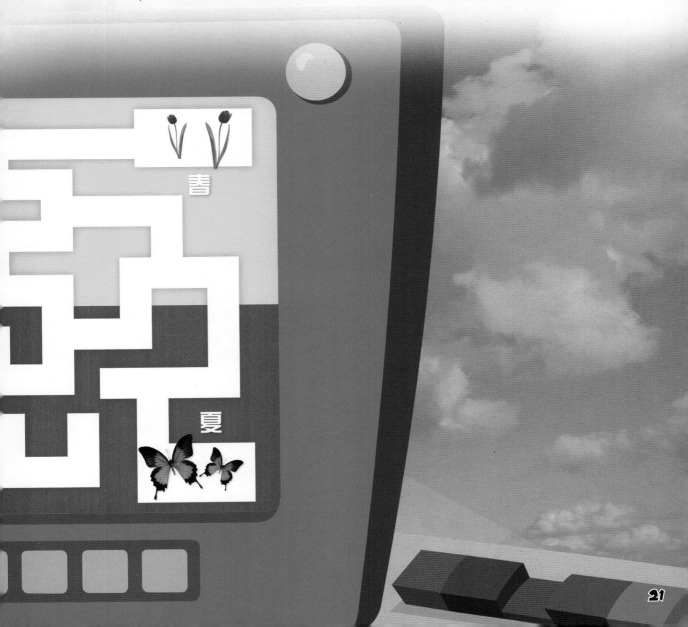

"我们做到啦！"里欧欢呼起来，"我们终于回到春天啦！"
"我们成功啦！我们已经到达荷兰啦！"安妮也激动地嚷起来。
"我还从没见过这么多红色和黄色的大郁金香呢！"昆斯也兴奋地说道。

接着，昆斯把怀里的小郁金香种进了脚下的泥土里。

"在这个新家，她看起来舒服极了，而且变得更漂亮了。"六月低头看了看小郁金香，说道。

"我真高兴，小郁金香终于跟她的伙伴们在一起了。"安妮说道。

小郁金香也觉得高兴极了。现在，她终于可以长成一枝大大的、漂亮的郁金香了。

"四个季节终于回到自己的位置去了。"六月高兴地说道。

"谢谢你，太空船，这一路你真的太勇敢了！"安妮看着太空船说道。

小郁金香，春天快乐！

小伙伴们，春天快乐！

任务终于完成啦！

欢迎加入小爱因斯坦训练营！

读完故事，你的脑海里是不是有一大堆的问号？

欧洲和亚洲究竟谁在东谁在西？
郁金香又有哪些奇妙的故事？

想知道这些问题的答案吗？
赶快翻到下一页吧！

小朋友们，我是美丽的郁金香，你们见过我吗？

郁金香生长在比较寒冷的地方，它的根像球形，它的花瓣有六片，花的形状有的像小碗，有的像杯子，有的像漏斗。它的颜色也多种多样，白色、粉红色、黄色的花朵都很漂亮，而黑色的郁金香最稀少珍贵。郁金香是荷兰的国花。春天，荷兰遍地盛开郁金香，真是美极了！

小朋友们，你们知道把郁金香作为国花的荷兰还有什么有名的东西吗？

对了！风车和郁金香一样，也是荷兰的象征。荷兰人很早就制造风车，利用风能做像抽水、碾谷子这样的事情。以前荷兰大约有一万多架风车，现在有两千多架风车仍然在运转，这是荷兰最有特色的风景！

欧洲在哪里呀？

 中国的小朋友居住在亚洲，如果从地图上看，欧洲在亚洲的西边，两个大洲的陆地是连在一起的。

 欧洲都有哪些国家呢？

 如果把欧洲划分为东部和西部，那么在东部我们熟悉的国家有俄罗斯，西部有英国、意大利、荷兰、德国等等。小朋友们可以把世界地图找出来看一看哦！

南瓜失踪之谜

凉爽的秋风吹过，五彩的叶子纷纷飘落下来。
"大家看啊，"六月叫道，"秋天来了！"

"我喜欢秋天。"昆斯回答，"秋天有我最喜欢的节日。"
"是什么节日啊，昆斯？"里欧问。
你知道昆斯最喜欢的节日是什么吗？

"是万圣节！"昆斯叫道，"我们来一次万圣节派对吧。"

"好主意。"安妮激动地说。

大家马上开始行动。里欧和太空船挂起了纸蝙蝠。六月用泥巴做了一只黑猫。安妮特地学了一首万圣节的歌曲。

昆斯四处看看，发现少了点什么。

"我们需要一种橘黄色的东西。"昆斯对朋友们说，"这个橘黄色的东西上面有一根茎！"

你知道昆斯说的是什么东西吗？

"南瓜！"六月叫道，"我们需要一个开派对用的南瓜。"

"嗯，"安妮说，"南瓜长在南瓜藤上。"

"南瓜藤长在南瓜地里！"昆斯补充道，"我们得到南瓜地去——现在就去！"

"这是我们的新任务！"里欧笑道。

太空船拿出一份地图。昆斯找到了最近的南瓜地。
你能从地图上找到南瓜地吗？

昆斯、里欧、六月和安妮登上太空船。

"准备出发！"里欧喊道。

安妮唱了一首关于南瓜地的歌：

♪ 我们要去南瓜地，

那里好多大南瓜，

南瓜地，南瓜圆，

我们要找到最＿＿＿的！♪

你能找到恰当的字来完成她的歌吗？

大 ｜ 长 ｜ 小

太空船冲上云霄，但是又突然停了下来。

"怎么了太空船？"昆斯问。接着他就发现了问题所在。

两座山之间布满了乌云，南瓜地在山的另一边。如果云不散去，太空船就没法通过。

"我们得想个办法。"六月说。

"我有个主意。"昆斯边说边举起了他的喇叭，"我可以用喇叭把那些云全都吹走！"

你愿意帮昆斯把乌云吹走吗？只要大喊"强"就可以啦！

昆斯使劲吹响了喇叭，乌云果然全都散去了。
太空船高高地飞过山顶，降落在南瓜地里。

"看那些乌鸦！"安妮说，"这里不像南瓜地，倒像乌鸦地。"

"这不可能！"昆斯叫道，"南瓜地里一个南瓜也没有！这可怎么办啊？"

南瓜地里没有南瓜，你说这是为什么呢？

里欧指指地里的稻草人说："这里肯定一个南瓜也没有了，南瓜还没长大乌鸦就把它们都吃了。"

"我们得教教稻草人怎样把乌鸦吓跑！"昆斯说。

"我可以帮你，稻草人。"六月说，"你要把手臂高高举起来。"
六月慢慢地把手臂举过头顶，教稻草人做了一个芭蕾舞中手臂的动作。
"首先，把手臂举过头顶。"她解释道，"然后再慢慢放回身体两侧。"
你学会这个动作了吗？

"乌鸦们飞走了！"六月喊道，"不过还是有几只，你来试试吧！"
"没用的。"稻草人伤心地说，"我总是不够可怕。"

"你也可以变得可怕起来。"昆斯告诉稻草人，"你甚至可以变成最可怕的稻草人。但首先，你必须努力练习！"

数一数，现在稻草人还要吓跑多少只乌鸦呢？

"我可以帮你吓跑最后五只乌鸦。"安妮对稻草人说，"你要让那些乌鸦知道你很勇敢。你要有力地唱出来！"

于是安妮开始大声地唱：

♪乌鸦我要抓住你！
现在就离开南瓜地！♪

安妮递给稻草人一个麦克风。
"来吧，稻草人！"大家欢呼着，"大声唱出来吧！"
你愿意帮助稻草人吗？那就一起大声地唱吧！

乌鸦全都飞走了，大家都欢呼起来。

昆斯看了看南瓜地，皱了下眉头。

"怎么了昆斯？"安妮问。

"南瓜还要很长时间才能长出来。"昆斯答道，"肯定赶不上我们的万圣节派对了。"

里欧取出了他的指挥棒，对伙伴们说："我有一个办法可以让南瓜快点长大。"

他慢慢地抬起手，把指挥棒指向天空。"渐强！"他高喊道。

现在该你做指挥了。用你的手指当指挥棒，说："渐强！"

昆斯、安妮、里欧和六月惊讶地发现，南瓜都奇迹般地长大了。
"谢谢你们。"稻草人说，"拿几个南瓜去准备你们的派对吧。"
"谢谢。"昆斯说，"不过我们还想要点别的东西。"

原来，小爱因斯坦小队想邀请稻草人来俱乐部一起参加派对。

稻草人非常高兴，因为他可以和新朋友们一起去旅行了。里欧开心地对伙伴们说："任务完成啦！"

昆斯想用最大的南瓜准备万圣节派对。你找到南瓜地里最大的南瓜了吗？

回到俱乐部，大家把南瓜做成了南瓜灯。太好了，一切都准备好啦！
"来吧，稻草人！"昆斯拥抱了稻草人，"你是万圣节最勇敢的人！"

欢迎加入小爱因斯坦训练营！

读完故事，你的脑海里是不是有一大堆的问号？

"渐强"和"强"是什么意思？
南瓜灯和万圣节有什么关系？

想知道这些问题的答案吗？
赶快翻到下一页吧！

"渐强"和"强"都是音乐中表示力度大小的术语，力度的变化可以表达丰富的情感，力度越强，音乐越紧张、越雄壮，力度越弱，音乐越缓和、越委婉。

作曲家作曲时会在乐谱上标上详细的力度标记，从最弱到最强，最多时有十几种呢！ 除了用意大利文表示外，也会用像是数学中的大于号和小于号一样的符号表示。每个演奏家都会在这些符号的提示下，根据自己的感觉来展现音乐中力度的变化。

昆斯为什么要在万圣节时做一个南瓜灯呢？

万圣节（每年的 10 月 31 日）是西方孩子们最喜欢的节日，因为它在孩子们眼中充满了神秘色彩。夜幕降临时，孩子们便迫不及待地穿上各式各样的化装服，戴上千奇百怪的面具，提上一盏南瓜灯跑出去玩。南瓜灯的样子十分可爱，做法是将南瓜掏空，在外面刻上笑眯眯的眼睛和大嘴巴，然后在瓜中插上一支蜡烛，把它点燃，人们在很远的地方便能看到这张憨态可掬的笑脸。

大家好，我是稻草人！你们可以在农田里找到我，农民们让我们站在地里驱赶偷吃粮食的鸟雀，保护庄稼。因为我们基本上都是用稻草扎的，所以见到我们叫"稻草人"肯定没错啦！

我们的家族里还有一位著名的稻草人——

在美国作家鲍姆的笔下，有一个很受欢迎的稻草人。他为了给自己稻草做的脑袋里面安

上一副聪明的大脑，与小女孩多萝西一起前往
奥兹国拜见大法师，一路上他和伙伴们经历了
无数艰险，关键时刻，他总能急中生智，带领
伙伴们逃离险境。其实，他早就拥有了过人的
头脑和智慧！后来他还做了奥兹
国的国王。这本经久不衰的
童话书就是《绿野仙踪》！
你读过吗？

小爱因斯坦们的任务完成啦，你的任务能不能完成呢？试试看！

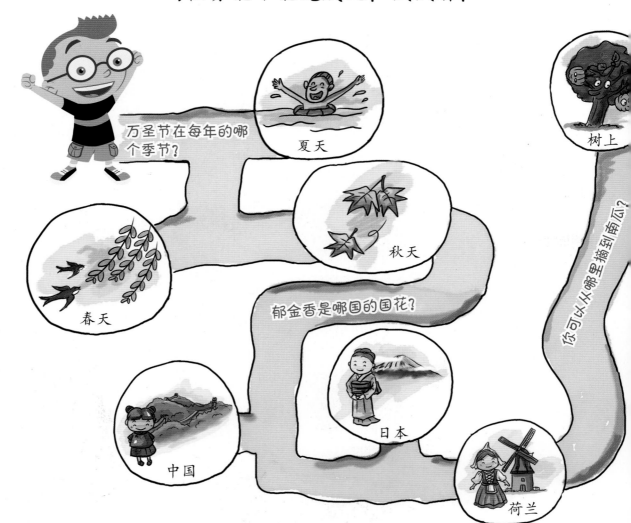

万圣节在每年的哪个季节？

夏天

树上

秋天

春天

郁金香是哪国的国花？

你可以从哪里摘到南瓜？

中国

日本

荷兰

亲爱的家长们：

感谢独具慧眼的您引领您的宝贝来到小爱因斯坦的世界，并全程参与小爱因斯坦们的每一个重要"任务"。

"小爱因斯坦"系列读物是专为 **3-6** 岁的学龄前儿童准备的、关于真实世界的启蒙读物，跟随这套读物，您的宝贝正在**以前所未有的力度感知身边的真实世界**，世界上最著名的建筑、不朽的传世名画、最伟大的音乐作品、世界各地的传奇风俗……在这一刻尽收眼底。您可能不知道，在阅读的过程中，在您的宝贝虽然幼小但却有着无限广度与可能性的脑海里，他（她）已经随同小爱因斯坦们一起登上神奇的太空船，用拍手、舞蹈与欢笑的方式，完成了一个个神奇的任务并受益终生。

这就是这套读物带给您的神奇力量，让您**在家庭环境中完成对宝贝关于外部世界的启蒙教育**，让书籍代替您的双脚引领宝贝们认知我们绚烂的世界。

衷心希望每一个宝贝都能在"小爱因斯坦"的陪伴下，乐享阅读，乐享成长！

编者

2009.3